Werner Färber

Geschichten vom kleinen Feuerwehrmann

Illustrationen von Jan Birck

Loewe

Der Umwelt zuliebe ist dieses Buch
auf chlorfrei gebleichtem Papier gedruckt.

ISBN 3-7855-3867-7 – 2. Auflage 2003
© 1998 Loewe Verlag GmbH, Bindlach
In anderer Ausstattung bereits 1998 beim Verlag erschienen.
Umschlagillustration: Jan Birck
Reihengestaltung: Angelika Stubner

www.loewe-verlag.de

Inhalt

Nachtalarm

Florian, der , übernachtet

heute im . Weit entfernt

donnert es. Durchs sieht

man zucken. Schlaflos

wälzen sich Florian und die

anderen in ihren .

Plötzlich schrillt die große .

„Wozu haben wir uns eigentlich

hingelegt?", grummelt Hein müde.

„Schimpf nicht, beeil dich lieber

ein bisschen", sagt Florian und

springt aus seinem .

Er zieht und ![socks] an

und rutscht die ![pole] hinunter.

Dort stehen die ![boots] bereit.

Ruck, zuck zieht Florian sie an.

Er schlüpft in die , setzt

den auf und ist fertig.

Florian öffnet das große .

Als Hein und die anderen

kommen, sitzt er bereits hinter

dem . Hein greift schnell

zum des . „Wo

brennt es denn?", fragt er. „Ein

hat in einen eingeschlagen",

antwortet die am .

Sie beschreibt ihnen den .

Florian schaltet das ein.

Wieder zuckt krachend ein

herab. Plötzlich schüttet es wie

aus . Die kommen

kaum nach. Als Florian das

beim anhält, ist das

bereits von allein ausgegangen.

Trotzdem bleibt für die

noch viel zu tun. Mit und

entfernen sie die verbrannten ,

damit sie morgen niemandem auf

den fallen.

Dummes kleines Kätzchen

Der schließt seine

auf. Er ist müde. „Florian, kannst

du mir helfen?", ruft das ,

das im neben Florian wohnt.

„Wo brennt's denn?", fragt Florian.

„Meine kommt nicht mehr

vom herunter", sagt das .

„So was", sagt Florian verwundert.

Er geht mit dem in

den . Die hockt ganz

oben im und miaut kläglich.

„Wie kommt deine so hoch

hinauf?", fragt der .

„Zilly hat ein gesehen

und ist hinterhergejagt."

„Bleib sitzen, ich hole dich!", ruft

Florian der kleinen zu.

für klettert er ihr entgegen.

Aber wie soll er sie nur vom

herunterbekommen? Er kann sie

ja nicht festhalten. Und ohne

seine kann er nicht klettern.

Ein wäre gut. Und ein .

Dann könnte er Zilly in den

setzen und hinunterlassen. „Jetzt

weiß ich was", sagt der

zu Zilly. „Schön still halten."

Er steckt die kleine unter

seine und zieht den

zu. Zilly faucht und Florian

bekommt ihre zu spüren.

Aber sie beruhigt sich schnell.

Der kann Zilly dem

wohlbehalten übergeben. „Und

bevor du wieder ein

jagst", sagt er zur kleinen ,

„übst du erst einmal klettern."

Florian macht Urlaub

Florian holt sein und

macht die großen fest.

Der hat das ,

seinen , ein

und seine eingepackt.

Und noch einiges mehr. Florian

setzt den auf und radelt los.

Endlich hat er wieder mal frei.

Erst fährt er am entlang,

dann einen steilen hinauf.

Abends erreicht Florian den ,

an dem er sein aufstellen

kann. Ringsherum stehen noch

mehr . Der lernt nette

 und kennen.

Es ist längst dunkel, als Florian

in seinen kriecht.

Aber ein paar bleiben

noch länger auf. Nachts schreckt

der 🚒 plötzlich hoch.

Draußen ist es merkwürdig hell.

Ob das der ist? Florian

schaut aus dem . Es ist nicht

der , der das erleuchtet!

Jemand hat die brennen

lassen. Sie ist umgekippt.

Der ⬥ hat 🔥 gefangen.

Schnell kriecht Florian heraus.

Er packt den brennenden

und schleudert ihn in den .

Zischend geht das aus.

Der eilt zurück um das

zu löschen. Es ist sehr dürr und

hat ebenfalls gefangen.

Als die Ersten merken, was los ist,

hat Florian bereits alles erledigt.

„Mit einem kann uns eben

nichts passieren", sagt ein .

„Aber nur, wenn er rechtzeitig

aufwacht", sagt Florian.

Dann kehren alle zurück in

ihre . Und diesmal achtet

jeder darauf, dass keine

mehr brennt.

Tag der offenen Tür

Heute ist was los im .

Überall wimmelt es von .

Sie wollen alles genau wissen.

Der 👨‍🚒 erklärt ihnen geduldig,

wie ein 🚒 funktioniert.

Die größeren 👦 dürfen ihm

sogar helfen ein 🔥 zu löschen.

„Wir zünden jetzt die alte

an!", ruft Florian. „Wer möchte

den halten?" Natürlich

melden sich viel zu viele .

Darunter auch ein kleiner

mit seinem . „Tut mir Leid",

sagt Florian. „Der ist noch

ein bisschen zu schwer für dich."

Traurig drückt der kleine

seinen an sich. „Aber wenn

du möchtest, darfst du nachher

ins springen", sagt Florian.

„Wirklich?", fragt der .

„Versprochen", sagt der .

Nachdem die gelöscht ist,

wird das aufgespannt.

Die dürfen von der

springen. Auch der kleine

mit dem stellt sich hinten an.

„Und – hopp!", ruft Florian dem

ersten zu. Schon ist es sicher

im gelandet. „Und –

hopp!", ruft der dem

kleinen zu. Aber er springt

nicht. „Mein traut sich

nicht", sagt er leise. „Dann musst

du ihm gut zureden und selbst

ganz mutig sein!", ruft Florian.

Der umarmt den

mit beiden . Dann atmet er

tief durch und springt. Er landet

sicher im . „War's denn

schlimm?", fragt der .

Der schüttelt den .

„Mein will sogar noch mal",

sagt er. „Dann nichts wie rauf auf

die ", sagt Florian lachend

und hilft ihm vom .

Die Wörter zu den Bildern:

 Feuerwehrmann

 Stange

 Feuerwehrhaus

 Stiefel

 Fenster

 Helm

 Blitze

 Tor

 Betten

 Lenkrad

 Glocke

 Hörer

 Socken

 Funkgerät

 Hose

 Baum

Frau

 Äste

 Weg

 Kopf

 Blaulicht

 Tür

 Eimer

 Mädchen

 Scheiben-
wischer

 Haus

 Feuerwehrauto

 Katze

 Feuer

 Garten

 Axt

 Eichhörnchen

 Säge

 Hände

Korb

 Badehose

 Seil

 Fahrradhelm

 Reißverschluss

 Fluss

 Krallen

 Berg

 Fahrrad

 Männer

 Taschen

 See

 Zelt

 Frauen

 Schlafsack

 Mond

 Handtuch

 Lampe

Tisch

 Junge

 Gras

 Teddybär

 Kinder

 Sprungtuch

 Hütte

 Leiter

 Schlauch

 Arme